内 容 提 要

贞贞想让妈妈给她买一个心仪已久的漂亮粉色挎包。妈妈告诉贞贞买挎包需要自己积攒零花钱去买。在家人的帮助下，贞贞心仪的挎包终于买成了。故事内容轻松活泼，旨在让孩子懂得有计划地处理和完成事情，培养孩子自我管理的能力，并教会孩子对金钱概念有初步的认识，树立基本的金钱观。

图书在版编目（CIP）数据

贞贞的储蓄罐 / 冬卉著；闻碟绘 .-- 北京：航空工业出版社，2018.1
ISBN 978-7-5165-1475-7

Ⅰ. ①贞… Ⅱ. ①冬… ②闻… Ⅲ. ①儿童故事—图画故事—中国—当代 Ⅳ. ① I287.8

中国版本图书馆 CIP 数据核字（2017）第 327449 号

贞贞的储蓄罐
Zhenzhen de Chuxuguan

航空工业出版社出版发行
（北京市朝阳区北苑 2 号院 100012）
发行部电话：010-84936597 010-84936343

三河市春园印刷有限公司印刷 全国各地新华书店经售
2018 年 1 月第 1 版 2018 年 1 月第 1 次印刷
开本：787 × 1092 1/12 印张：2.75 字数：10 千字
印数：1—5000 定价：36.00 元

贞贞的储蓄罐

冬卉/著　闻碟/绘

航空工业出版社
北京

贞贞有个心仪已久的东西，
是一个漂亮的粉红色挎包。
每当透过玻璃窗看到那个包时，
贞贞的心都怦怦地跳。

“妈妈，给我买个包吧，好不好？”
贞贞央求着妈妈。
“贞贞自己买怎么样？
每帮妈妈做完一件事，妈妈就会给你酬劳，
你把那些钱攒起来买个包，
就是贞贞自己买的了。”
贞贞高兴极了。

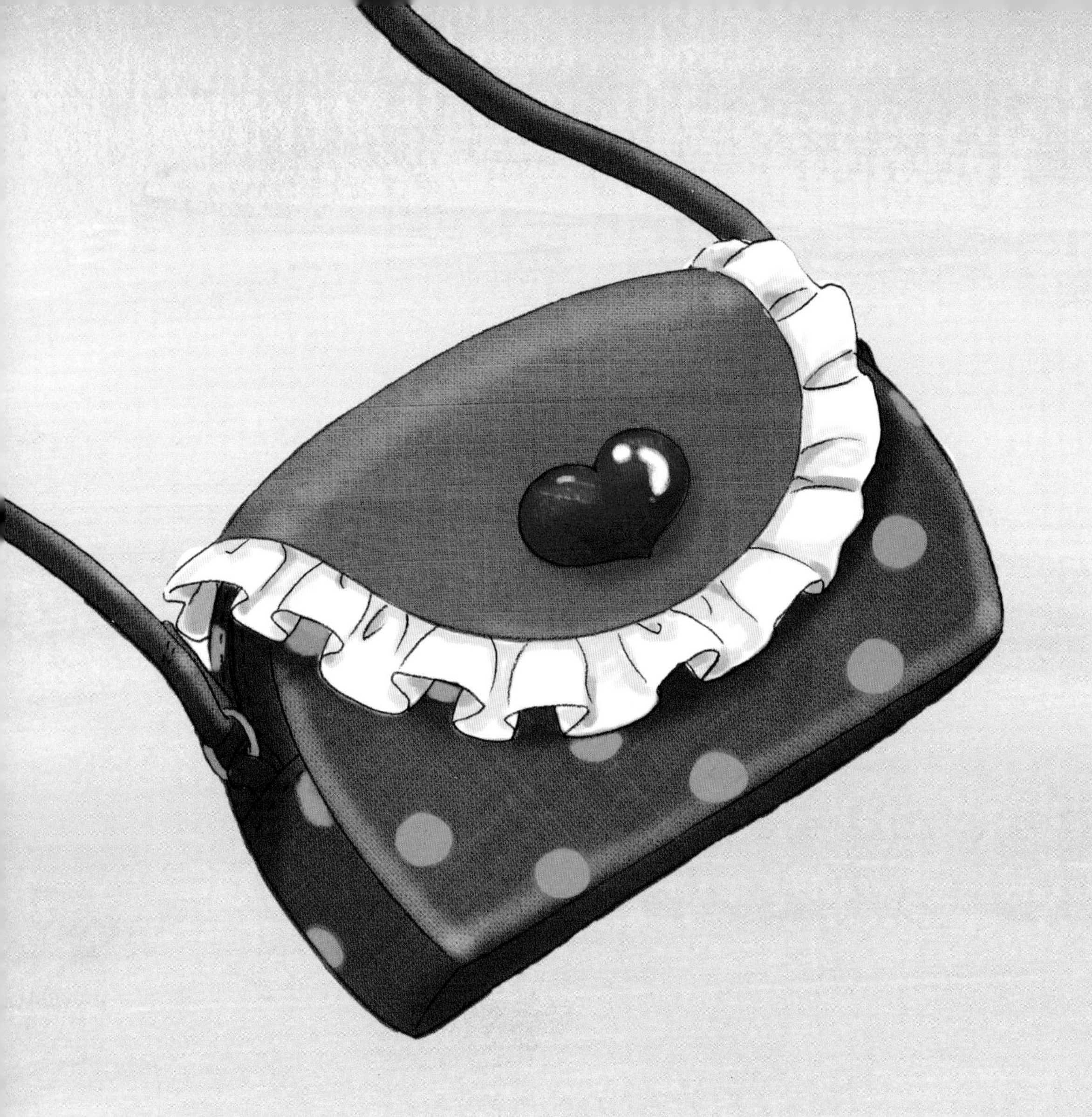

妈妈送给贞贞一个漂亮的储蓄罐，贞贞很喜欢。
“赶快攒钱买包去！”

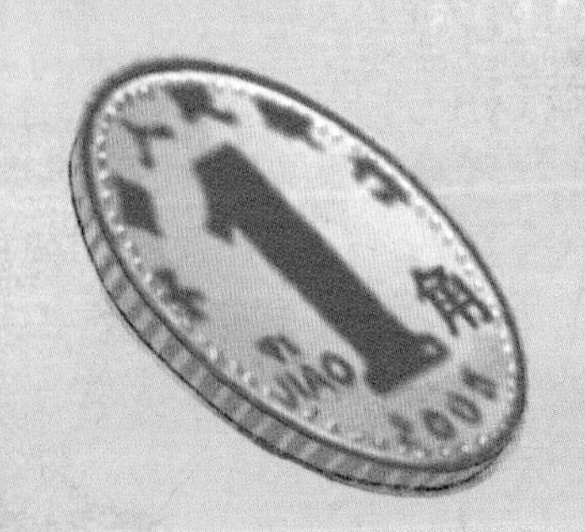

1
角
1
元
2005
5

吃完饼干，贞贞把包装袋扔到了垃圾筒里。

妈妈给了她 1 元钱。

叮当，放入了储蓄罐。

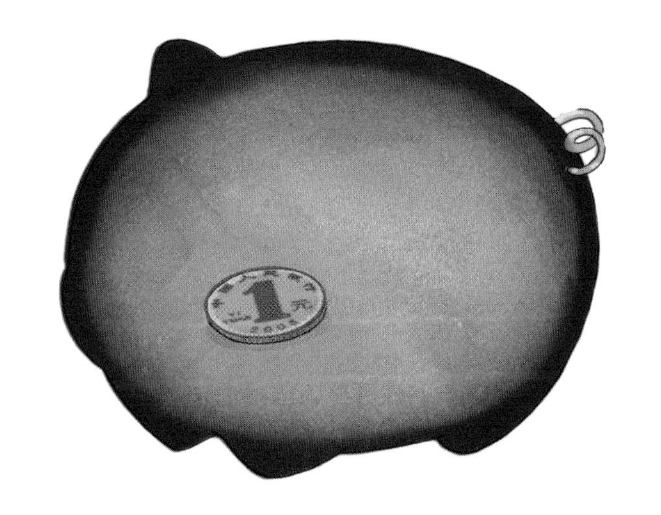

沙沙沙～

哗哗哗～

给花盆浇水，外婆给了她 5 毛钱。

叮当，放入了储蓄罐里。

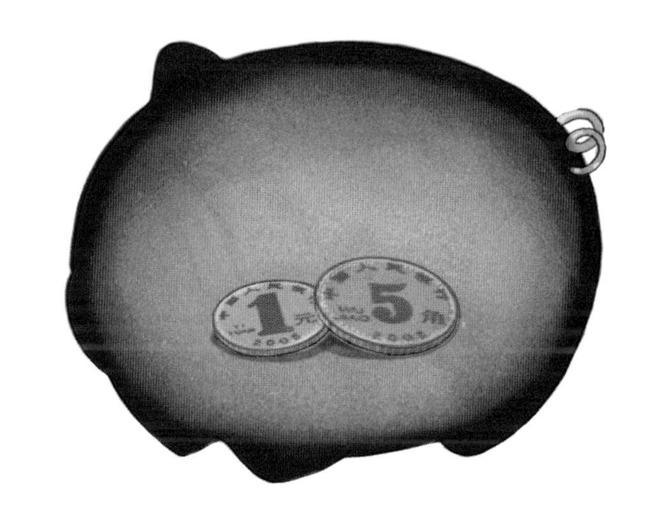

给爸爸捶捶背、捏捏肩！
爸爸给了一百块。

“我不要这个，放不进去。”

爸爸呵呵一笑，给了 5 个 1 元硬币。

叮当叮当叮叮当当，5 个硬币全部进入了储蓄罐里。

贞贞把储蓄罐当宝贝一样：
“储蓄罐，晚安！”
睡觉时抱着储蓄罐睡。

哗啦哗啦～哗啦哗啦～

听见钱币的声音，

贞贞飞快地跑进她的房间。

看到妹妹在拿着储蓄罐玩：

“不行！这是我的！”

从那以后，贞贞每次去吃饭、去洗手间时，都要把储蓄罐带在身边。

出门时，贞贞也抱着储蓄罐……

储蓄罐越来越重，

“太重了，没法带身上，我要找个地方藏起来。”

贞贞找到了藏储蓄罐的地方。

“放在玩具箱里好呢？”

“还是放在衣柜里好呢？”

“床底下好不好？”……

哇～

储蓄罐终于满了。

“妈妈，带我去买包吧！”

“叔叔，我要那个粉红色挎包。”

桌子上倒满了钱币。

贞贞蹦蹦跳跳、高高兴兴地回家了。

贞贞的挎包亮晶晶，非常漂亮。